穿越夢工場

作·耿啟文 / 畫·KNOA CHUNG

遇見鐘樓駝俠

目錄
contents

加加

幻想力豐富，愛胡思亂想，
滿腦子浪漫想法的初中生。

喵喵

外表什麼都不像的怪物，卻自稱
是狗，來自距離地球十萬光年以
外的公主星，有時像魔鬼教練般
嚴厲，有時卻像寵物般可愛。

王大大

加加的同班同學，運動型男孩。是
男生們的領袖，自稱「大王」。性
格有點幼稚，總是跟女生們作對，
令加加煩惱不已。

子羽

加加的學長。斯文帥氣、
才華洋溢、能歌善舞，是
女生們的仰慕對象。

加西莫多

孚羅洛副主教收養的孤兒，在巴黎
聖母院裡負責敲鐘，雖然駝背、貌
醜，但內心卻非常善良。

愛絲梅拉達

美麗動人的吉卜賽舞者，舞姿
曼妙，追求者眾，卻遭到嫉妒
和歧視，惹來官非，面臨處死。

孚羅洛

巴黎聖母院的副主教，外表仁慈、
知書識禮、德高望重，但其實是個
表裡不一的陰險小人。

菲比斯

英俊瀟灑、年輕有為的警衛
隊隊長。看似一表人才，卻
是個到處留情的負心漢。

第1章
愚人節快樂

　　每年臨近那個日子，加加都會異常緊張地列出一份黑名單。名單上的人，在那個日子裡，都是極度危險的人物，而那個日子就是愚人節。

　　名單上排第一的是王大大，第二是爸爸，第三位是媽媽，他們都是最有可能在愚人節作弄加加的人，所以加加提高警覺，特別小心。

　　雖然加加已經做足準備，但到了愚人節當天，加加起床，到廁所洗漱的時候，一照鏡子便驚叫起來：「哇！阿凡達啊！」

因為她看見自己滿臉都是藍色。

媽媽聽到加加的驚叫聲，立刻飛快地跑過來，得意地笑著說：「愚人節快樂！」

加加恍然大悟了，這是媽媽跟她開的玩笑，臉上那些藍色的東西是媽媽的美容面膜膏。

「靚媽！你怎麼可以趁人家睡覺的時候出手！」加加投訴。

「誰叫你睡得像頭豬。哈哈。」媽媽滿心歡喜，「快洗臉，然後來吃早餐。」

雖然已經提高警覺，但加加實在沒想到一起床就被黑名單上的第三位作弄了。

洗漱過後，加加小心翼翼地走到飯廳，怎料突然有一頭獅子從餐桌下撲出來，嚇得她立刻驚叫逃跑，「哇！獅子啊！」

加加跳上了沙發，蜷縮起來大喊：「救命！」

那獅子也跳上了沙發，呆呆地看著她。

「這麼膽小，怎樣當公主啊？」那獅子說。

加加立刻瞪大眼睛看著那「獅子」，原來只是穿了獅子服的喵喵。

「連你也作弄我！」加加雙手捏著喵喵的臉教訓牠。

「你以為我想啊？我堂堂公主訓練犬，卻被你們這家人當成傻更更的寵物一樣。」喵喵大吐苦水。

加加迅即發現獅子服上寫了「愚人節快樂」五個字，一看就認出是爸爸的字跡，這顯然是爸爸的惡作劇，把喵喵扮成獅子來嚇加加。

「可惡！爸爸呢？」加加大聲問。

「你爸爸上班去了。」媽媽從廚房捧出早餐，放在餐桌上。

加加到餐桌前坐下，像驗屍一樣非常細心地檢驗媽媽做的早餐，確認沒有惡作劇才敢吃。

喵喵走到加加的腳邊，催促著說：「喂喂，快幫我脫下這衣服啊。真不理解你們地球人，居然會有一個專門作弄人的節日，真夠無聊的！」

加加心情不好，沒有理會喵喵。她深深不忿，明明已經提高戒心了，可還是一起床就接

連敗陣，被黑名單上的第三和第二位作弄了！

　　吃過早餐後，加加騎單車上學去。才走了不到十米，聽到隔鄰子羽哥哥開門的聲音，加加忽然想到一個鬼主意。

　　當子羽騎著單車出門的時候，發現加加的單車倒在路邊，而加加則躺在地上，一動也不動。

　　子羽大驚失色，連忙上前，拍打加加的臉，「加加，你沒事吧？你被車撞倒了嗎？」

加加忽然睜開眼睛，笑著説：「愚人節快樂！哈哈……」

子羽呆了一呆，「原來你是作弄我啊。」

加加緊張起來，「子羽哥哥，你不會生氣吧？」

「哈哈，怎麼會呢，你沒事就好。」

子羽扶起加加和她的單車，然後一起騎著單車上學去。

「聽説你創辦了偵探學會，還當上了會長啊。」子羽説。

「對啊，子羽哥哥你也知道嗎？」

「當然知道。你破解了校長的密室謎題，全校都在談論這件事呢，你真聰明。」

得到子羽哥哥的稱讚，加加滿心歡喜。

回到學校，加加馬上把戒備狀態提升到最高級別，因為她即將面對黑名單上的頭號危險人物——王大大。

加加一踏入校門，便發現王大大以詭異的目光看著她，似乎心懷什麼詭計。

趁王大大還未動手，加加先來一個下馬威，說：「還不快叫會長大人！」

早前在校長設下的密室謎題中，加加擊敗了王大大，成為了偵探學會的會長，而王大大則只能當副會長，加加因此十分神氣。

王大大有點憤怒和不服氣，但很快又冷笑起來，說：「會長大人早安！」

王大大說得如此有禮，令加加有種不祥的預感。看著王大大那副嘻皮笑臉，總覺得他不懷好意，想作弄人的樣子，於是警告他：「如果你敢作弄我的話，我就以會長的身份把你踢出偵探學會！」

但王大大也回敬一句：「要是你敢作弄我的話，我就把你的間諜身份公開！」

「我哪裡是間諜！」加加呼冤。

王大大一直把加加當成自己的間諜，幫他收集女生們的情報，但加加從來沒有答應過。

他們兩人整天都小心翼翼地互相盯著，提防對方的惡作劇，別人不知道還以為他們在眉目傳情呢。

說來也奇怪，王大大一整天也沒有什麼

作弄加加的行動，難道是會長的威嚴把他鎮住了？當上偵探學會會長後，加加在學校裡的名氣和地位似乎都提升了不少，今天每個同學碰見她，不管是認識的還是不認識的，都帶著微笑對她說：「會長大人。」

　　加加有點受寵若驚，就連回到家裡，媽媽也對她說：「會長大人，你回來了啊。」

　　「是啊。」加加正想回到房間去，卻突然感到不對勁，「靚媽，你怎麼知道我當上會長？我好像還沒告訴你啊。」

　　「全世界都知道吧。」媽媽笑了笑，從加加的背部撕下一張貼紙，上面畫了一隻烏龜，烏龜下面寫了「會長大人」四個大字。

加加看見了，立刻咆哮如雷：「哇！是誰貼在我背上的？什麼時候開始的？貼了多久啊？」

　　怪不得今天每個人見到加加，都笑著說一句「會長大人」了。

　　「王大大！一定是王大大！」加加跑到房間，打電話給王大大，連珠炮發地痛罵他，還說要把他踢出偵探學會，不給他任何解釋的機會，罵完便氣沖沖地掛了線。

　　「脾氣這麼暴躁，怎麼當公主啊？」喵喵指導她。

　　「氣死我了，氣死我了！黑名單上頭三位都把我作弄一遍了！」

　　喵喵更揶揄她：「枉你還是偵探學會的會

長。」

「你說什麼？」加加遷怒於喵喵，雙手把牠舉起，「我心情不好，快帶我去歐洲旅遊散散心！」

「哇！兩者有什麼關係？你把我當成免費導遊嗎？」喵喵掙扎著說。

「我不管！今天是愚人節，你信不信我幫你穿上老鼠服，然後丟到門外，讓貓貓們整天追著你？」加加要脅道。

喵喵心頭一震，只好屈服，「好吧，好吧，我就償你所願！」

　　喵喵舔加加的手，舔了 12 下之後，喵喵頭上那雙角閃起了電光，劈出一道時空門，把加加和喵喵都吸進去了。

第**2**章
巴黎聖母院

　　加加和喵喵從半空跌到地上，加加抬頭一看，發現身處一座宏偉的教堂內。

　　「怎麼把我送到教堂來？」加加疑問。

　　「這裡是巴黎聖母院。」喵喵說。

　　「巴黎？」加加立刻雙眼發亮，「太好了！這是我第一次來法國。我剛好有一個舊同學跟父母移民到法國，我要找她，讓她帶我去玩，吃米芝蓮餐廳，看時裝展，參觀羅浮宮博物館⋯⋯」

但加加一邊説，喵喵就一邊偷笑。

「你笑什麼？」加加質問，然後才發現自己身上竟穿著中世紀的歐洲服裝，大感驚訝：「為什麼會這樣？」

喵喵笑著説：「愚人節快樂！歡迎來到 15 世紀的巴黎。」

「連你也作弄我！」居然被不在黑名單上的喵喵作弄了，加加深深不忿，「你不是説地

球人的愚人節很無聊的嗎？」

「是很無聊，但入鄉隨俗是基本禮貌。」

「哼！管它是什麼年代，15 世紀也有 15 世紀好玩之處。」

加加雙手不停往自己的衣服摸索，似乎在找東西，好不容易才摸到了藏在裙子內的一個麻袋。

「這年代的衣服雖然很美，但口袋設計真不方便。」加加千辛萬苦終於從袋子裡拿出了一部手機和一根自拍桿。

「連自拍桿都帶來了，你果然是早有預謀來旅遊啊。」喵喵揶揄她。

加加「嘻嘻」地笑了一聲，把手機安裝在自拍桿上，便開始擺姿勢拍照。

「喵喵，你也來一起合照吧。」加加興高采烈地說。

「不拍。」喵喵裝起一副高傲的模樣，「旅遊是應該用心去感受，並不是只顧拍照的。」

喵喵雖然口裡說不，但四處蹓躂時，總是有意無意間走入了加加的鏡頭內，讓自己被拍下。

「你別像個幽靈一樣潛入我的照片裡！」加加忍不住喝止牠。

喵喵卻裝作若無其事。

這教堂的設計實在美極了，那些宏偉的雕像、石柱和拱頂，還有絢麗的彩繪玻璃、夢幻般的玫瑰窗，都使加加拍照拍個不停。

她不放過教堂內的任何景物，包括那個會走動的古怪雕像。

「等等，那是什麼？」加加細心一看，原來遠處那個不是雕像，而是一個樣貌醜陋、帶點駝背的怪人正走過來。

「哇！有壞人潛入聖母院啊！」加加嚇得驚叫起來。

喵喵不禁流下一滴冷汗，「你怎麼知道他是壞人？」

「一看就知道啊！」加加把手機上的影像放大給喵喵看，「你看！他長得那麼醜，凶神惡煞的樣子，不是壞人是什麼？說不定還是個殺人犯呢！」

眼看那怪人正走過來，加加害怕得掉頭逃跑，「哇，他追來了，他想殺我們啊！」

「你太誇張了吧，人家怎會無緣無故殺你。」喵喵一邊跟著她跑，一邊説。

「你沒看見他長著一副變態殺人狂的嘴臉嗎？」加加説。

他們經過一個房間，想也不想就躲了進去。

沒料到這房間裡收藏著許多金銀財寶，加加看得目瞪口呆，迅即忘記了那「殺人狂」，情不自禁地拿起那些珠寶首飾，戴到身上拍照。

　　「喂喂！你別亂動人家的東西！這裡應該是收藏捐獻的房間。」喵喵説。

　　「我又不是偷，也不是搶，只是借來拍照而已。」加加為自己辯護。

　　她戴上黃金造的皇冠，配戴各種珠寶首飾，拿著鑲滿寶石的權杖等等，擺出女皇的姿態，不停自拍。

　　「怎麼樣？我像女皇嗎？」加加擺著姿勢，洋洋得意地問。

　　「你比較像賊。」喵喵揶揄她。

「我拍完照就會放回原處啦。」

說到賊，加加忽然想起剛才那個「壞人」，難道他就是來偷這些財寶的？

「喵喵，快！我們要快離開這裡！」加加匆忙想離開，卻忘了身上仍戴著許多珠寶。

「你身上的東西啊！」喵喵提醒她。

「啊對！」

加加還來不及把身上的東西除下，那「壞人」已開門闖進來了。

「你果然是來偷東西的！」加加和那人都異口同聲地互相指責對方。

「到底誰比較像賊啊？」那人指著房間裡的一面大銅鏡問。

在銅鏡裡所見，加加身上掛滿了珠寶，而那人只穿著樸素的衣服。

加加自滿地照了一下鏡子說：「很明顯就是貴族與強盜啊。」

那人怒不可遏，罵道：「你還惡人先告狀！你把賊贓都戴到身上了，證據確鑿，不容抵賴！」

加加連忙把身上的珠寶除下，解釋說：「不不不，我只是拿來拍一下照而已！」

「什麼是拍照？」那人滿臉疑惑。

「噢！你們這時候還未發明照相機。」加加如夢初醒，於是提起自拍桿，向他示範，「這樣就是拍照啊。」

那人看見加加揮舞著自拍桿，以為是武器，立刻緊張地出拳，把桿子打掉，「帶著古怪的武器，還不承認是賊！」

「我的手機啊！」加加撿起掉在地上的手機和自拍桿，發現手機跌壞了，慘叫：「哇！

無法開機！」

「說話古古怪怪的，我要把你送警法辦！」那人抓住了加加的手臂。

「你是誰啊？你憑什麼抓我！」加加掙扎。

「我叫加西莫多，在這裡負責敲鐘的。」那人說。

「加西莫多？這名字好像在哪裡聽過。」加加苦苦思索著。

加西莫多顯得有點失落，「我經常被人當作笑柄，你聽過我的名字也不奇怪。」

加加想不起來，望向喵喵：「加西莫多是誰？」

喵喵告訴她：「加西莫多就是《鐘樓駝俠》裡的主角啊！」

「噢！真的嗎？」加加很驚訝，「那他不是賊？」

「應該不是。」喵喵說。

喵喵的話只有加加能聽懂，在其他人耳中只是普通狗吠聲。

加西莫多看見加加對著小狗自言自語，覺得有點詭異，「你別以為裝瘋就可以蒙混過去啊！」

加加突然靈機一動，想起每個故事裡都總有女主角的，為了逃生，她不得不說謊：「我是女主角的朋友！」

「女主角？」加西莫多呆住了。

因為不知道女主角的名字叫什麼，所以加加剛才衝口而出，直接說了「女主角」三個字。

　　喵喵忍不住提她：「愛絲梅拉達。」

　　加加立刻修正：「我是愛絲梅拉達的朋友。」

　　一聽到這個名字，加西莫多便臉紅起來，加加便乘勝追擊說：「愛絲梅拉達那樣美麗善良，她的朋友也不可能是個壞人吧。」

　　加西莫多似乎被說服了，語氣變得溫和：「原來你是愛絲梅拉達的朋友，那麼請你跟我來吧。」

　　加加跟著加西莫多來到一間書房，裡面有一位看上去很有教養、十分仁慈的中年男人。

加西莫多向那人說：「副主教，我抓住了一個賊！」

加加聞言幾乎跌倒地上。

第3章
尋找吉卜賽少女

加加以為加西莫多知道自己是愛絲梅拉達的朋友後會釋放她，怎料加西莫多竟然將她交給副主教處置。

副主教孚羅洛勃然大怒，「居然敢盜取信眾們的捐獻，必須嚴懲，以儆效尤！」

「冤枉啊，我沒有偷東西，我只是來遊覽拍照而已。」加加慌忙解釋。

「這裡是聖母院重地，豈容你隨便遊覽！」孚羅洛把一根麻繩拋給加西莫多，吩咐

道：「把她綁起來，交給警衛隊。」

加西莫多正想綁住加加的雙手，加加立刻喝止：「你敢？信不信我向愛絲梅拉達說你的壞話？」

怎料加西莫多反而把加加的雙手綁得更緊。

加加痛得慘叫：「哇！你不是喜歡愛絲梅拉達嗎？」

加西莫多頓時臉紅起來，靦腆地說：「就是因為你是她的朋友，所以我更加要對你嚴厲，這是為你好。做錯事得不到懲戒的話，將來只會變本加厲，犯下更大的錯，到時就恨錯難返了。」

加加氣炸了肺，破口大罵：「你的腦袋真

是跟你的外表一模一樣，又醜又蠢！」

「等等，你是愛絲梅拉達的朋友？」副主教孚羅洛緊張地走過來問。

「嗯。」加加點頭。

孚羅洛雙眼登時發亮，加西莫多一邊綁加加的雙手，孚羅洛卻一邊為她解開。

「那麼你知道愛絲梅拉達目前在哪裡嗎？」孚羅洛問。

加加一時語塞，想了一想回答道：「我才剛剛到埗，還沒去拜訪她呢。」

「那麼如果你見到她的話，請立刻通知我。」孚羅洛緊張地說。

「為什麼？」加加問。

孚羅洛嘆了一口氣，「因為這裡的人對吉卜賽人有偏見，他們誣衊愛絲梅拉達是個邪惡的女人，指控她偷竊、誘惑男人等等罪行，正在被通緝。萬一她被警衛隊抓住了，恐怕會受到嚴刑逼供，然後判處死刑。」

　　加西莫多也大吃一驚，「有這麼嚴重嗎？」

　　孚羅洛點點頭，「不過，我有辦法為她洗脫罪名，但前題是要盡快找到她。」

　　那條麻繩經過一輪又綁又解之後，加西莫多發現最後是自己的雙手被綁住。

　　「義父，為什麼把我雙手綁住？」加西莫多一臉無辜地問。

「你連好人壞人也分不清，這是對你的小懲戒。」孚羅洛接著向加加說：「我相信你不是壞人，當中一定是有誤會，現在你可以走了。」

「真的嗎？」加加驚喜萬分，「副主教果然明察秋毫，我第一眼看見閣下就知道是個明白事理的人，不像那些笨蛋！」

加加斜視著加西莫多，還向他做了一個鬼臉。

而加西莫多仍忙著為自己解綁，手忙腳亂，十分狼狽。

在加加離開之前，孚羅洛再三提醒她：「記緊找到愛絲梅拉達便立刻通知我，還有，先不要向她透露我的身份，因為我不想把教會牽涉其中。」

加加答應後，便離開了聖母院。在聖母院門外，發現喵喵正在曬日光浴午睡著，加加氣憤地說：「我差點被當成盜賊了，你居然不理我，自己溜出來睡覺！」

「我在訓練你學習自己解決問題，不然怎麼當公主啊。」

加加懶理喵喵，馬上開展她的巴黎觀光遊。可是才逛了幾分鐘，加加腦裡就不斷想起孚羅洛所說的事情，愛絲梅拉達目前的處境非常危險，不盡快找到她的話，會有性命危險。

加加逛街的步伐愈來愈慢，忽然停了下來。

這時喵喵剛追上來，問：「你怎麼了？」

「我不可以只顧玩，我要救人！」加加說完便轉身跑了去。

喵喵又要回身追她，「喂！等等我啊！」

加加決定要找愛絲梅拉達，卻不知道去哪裡找，只好直接問路人：「請問你知道愛絲梅拉達這個人嗎？」

可是每一個人，尤其是女人，一聽到這個

名字，都馬上露出鄙視的眼神，稱愛絲梅拉達是魔鬼，四處迷惑男人。她們還指出所有吉卜賽人都是壞蛋，經常搶劫、盜竊，做盡一切壞事。

她們愈是這麼說，就愈引證了孚羅洛的話是真的，而加加也愈擔心愛絲梅拉達的處境。

「你們知道她在哪裡嗎？」加加著急地問。

那些婦女忽然質疑地盯著加加，加加有種不祥的預感。

「你找她幹什麼？」

「難道你也是吉卜賽人？」

「別以為穿我們的服裝就能掩飾，我看你不像我們本地人啊。」

她們七嘴八舌地質問加加。

加加感到不對勁，正想掉頭走，怎料她們當中有人大喊：「有吉卜賽人想偷我的東西啊！」

加加驚愕地問：「你説誰？」

那婦人指著加加喊叫：「就在這裡！快抓住她！」

「我哪有偷你的東西啊？」加加終於見識到他們是如何歧視吉卜賽人了。

加加很快就被一群人圍捕，她逃進了一條巷子，卻發現前後都有人向她逼近，眼看無路可走，只能束手就擒之際，圍牆上突然伸下來一隻手，將加加一把拉起，然後帶領著加加越過圍牆逃走。

那人身穿吉卜賽服飾，是個俊俏的吉卜賽少年。加加感覺自己好像在演愛情電影一樣，英俊的男主角在危急關頭英雄救美，帶著她逃出險境。

他們繞過了許多彎彎曲曲的秘道，躲開了一個個追捕加加的野蠻人，最後來到了一條巷子的盡頭，兩人都喘著大氣。

這時候喵喵也喘著氣追到來，向加加投訴道：「你怎麼不理我，自己逃走，我差點就被他們抓住作人質了！」

加加立刻回敬他說：「我在訓練你學習自己解決問題，不能事事依賴主人啊。」

喵喵激動地吠叫：「什麼主人！我又不是你的寵物！」

那吉卜賽少年以食指攔在嘴前說：「噓！叫你的寵物不要吵，我有話要說。」

「聽到沒有？別吵。」加加向喵喵悄聲下命令。

那吉卜賽少年認真地說：「你是我遇見過最美的天使。」

加加完全沒料到對方會忽然向自己表白，一時間心如鹿撞，不知所措。

就在加加想著如何回應的時候，他們面前的石牆突然移開，原來那石牆是一道暗門，剛才那句話其實是暗號，牆後面的兩名吉卜賽大漢聽到暗號便把石牆推開。

加加呆在當場，十分尷尬。喵喵忍不住取笑她表錯情。

眼看他們又要爭吵起來的時候，眼前的景象卻吸引住他們。石牆後面是一個夢幻般的宮殿，雖然並非高貴華麗，但卻非常熱鬧、多采多姿、目不暇給。

這裡聚滿了吉卜賽人。那英俊的吉卜賽少年向加加介紹說：「歡迎來到奇蹟宮殿！」

第4章
奇蹟宮殿

　　這個奇蹟宮殿是吉卜賽人的秘密聚腳地，他們在這裡聚會、聊天、避難、互通消息，還有教學、娛樂、貨物買賣等各種社群活動。

　　外人不知道這個地方的存在，奇蹟宮殿是吉卜賽人感到最安全的地方，在這裡他們可以盡情做自己想做的事，不用再遭受歧視和不公平的對待。

　　他們對外人很有戒心，那兩個守門的大漢見到了加加，馬上質疑：「她是吉卜賽人嗎？」

那英俊少年馬上為加加做證：「她是吉卜賽人，剛才還被本地人欺負，所以我才帶她逃來這裡的。」

守衛相信他，便讓加加進入奇蹟宮殿。

那少年向加加講解：「這裡是我們吉卜賽人的秘密基地，十分安全，不用擔心。」

加加好奇地瀏覽四周，發現這裡到處都是充滿吉卜賽特色的表演、占卜和買賣等，簡直嘆為觀止。

加加從各個地攤挑選了許多有趣的吉卜賽紀念品，打算買回去留念，可是付款的時候，她拿出幾張港元鈔票，大家立刻以看騙子或瘋子的眼神看著她，她才醒覺自己身處 15 世紀的巴黎。

加加無可奈何，只好觀賞其他免費的表演了。在眾多充滿吉卜賽特色的表演中，最令人嘖嘖稱奇的，是一隻叫「佳麗」的寵物羊，居然能替人占卜。

　　「請問我的兒子叫什麼名字？」一個胖胖的觀眾向小羊佳麗問。

　　只見佳麗聽了問題後，便閉上眼睛，跳起古怪的舞步來，然後從一堆字母羊皮裡叼出了若干塊，拼成了一個字「Michael」。那人看到了，立刻驚訝大叫：「對啊！我兒子真的叫Michael！」

　　他連忙又問：「那麼他將來會做什麼職業？」

　　佳麗以同樣的方法抽出了幾個字母，拼成

了「Cook」。

「廚師嗎？太好了！我們一家都愛吃。」那胖子滿心歡喜。

加加想起自己要盡快找到愛絲梅拉達，不是來遊玩的，於是立刻去辦，但發現喵喵已經被佳麗的才藝和可愛舞姿吸引住，專注地駐足觀看，不願離開。

觀眾們不停地問佳麗問題，牠都能從字母堆中抽出答案一一解答。大家都說從沒見過這樣聰明可愛的動物。

沒想到這句話勾起了喵喵的好勝心，牠居然走上前，也叼起字母拼出了一條問題：「我們是從哪裡來的？」

觀眾們看得目瞪口呆，沒想到有另一隻動物也能用字母拼出複雜的句子。

佳麗看了一眼喵喵和加加，然後閉上眼，又跳起那古怪的舞步，從字母堆中叼出了四個數字——2019。

大家看到了，都感到莫名其妙，議論紛紛：「從 2019 來是什麼意思？」

就連佳麗睜開眼睛看到了這幾個數字，也大惑不解。

但喵喵和加加卻瞠目結舌，十分驚訝，心裡想：「這吉卜術很厲害啊，竟知道我們來自2019年。」

這時候，另一邊傳來一陣騷動，原來一位萬眾矚目的舞者要表演了，她就是愛絲梅拉達。

人們馬上一窩蜂地擁過去觀賞，加加和喵喵當然也跟著去，好不容易從圍觀的人群裡探出頭來，終於看到了愛絲梅拉達。

她是一位身姿妙曼、美麗大方的吉卜賽女人，光是看她擺起預備式的姿勢，已經使人血脈沸騰，引頸以待。

隨著樂師們奏起音樂，愛絲梅拉達的手指開始動起來了，並牽引著全身也舞動起來。

她的舞姿優美悅目、精彩動人，大家都看得如癡如醉。加加從沒欣賞過如此優美的舞蹈。

那隻寵物羊佳麗也陶醉地說：「我家主人跳的舞，真是百看不厭。」

喵喵能聽懂牠的羊話，驚喜地問：「原來愛絲梅拉達是你的主人？」

「是啊。」

「果然物似主人形。」喵喵一時衝口而出。

「那是什麼意思？」佳麗疑問。

喵喵立刻臉紅起來，不知怎麼回答，接著戰戰兢兢地伸出一隻手，含羞答答地說：「一起跳舞嗎？」

佳麗二話不說，興奮地將手搭在喵喵的手上，然後拉著喵喵一起為愛絲梅拉達伴起舞來。

加加看見了，心裡在暗笑，「原來喵喵喜歡這種類型啊。」

表演完畢了，現場掌聲雷動，大家都非常慷慨地打賞，喵喵和佳麗一起捧著個大帽子接收打賞，而愛絲梅拉達則非常禮貌地向觀眾們一一道謝。

就在這時候，那個帶加加進來的吉卜賽少年突然氣急敗壞地跑過來，慌張大叫：「快跑啊！快跑！」

「什麼事？」大家驚問。

那少年自責：「都怪我太大意，原來剛才被人跟蹤了！」

說時遲那時快，剛才追捕加加的幾名婦女，帶著警衛隊來到。

「就是這個吉卜賽人想偷我們的東西！」一名婦人指控加加。

「冤枉啊。」加加呼冤：「第一，我沒有想偷東西；第二，我根本不是吉卜賽人！」

這句話引起在場的吉卜賽人譁然，尤其那個帶加加來奇蹟宮殿的少年更是驚訝得呆若木雞。

「你不是吉卜賽人，又怎麼會在這裡？」那婦人質問。

此時，有幾名吉卜賽男人鬼鬼祟祟地想溜走，被婦人們發現，覺得很面熟。

「等等！」一名婦人拉住其中一個男人，認出來了，「老公，你什麼時候變成吉卜賽人了？」

「我……我……」那男人一時語塞。

接著，另一個婦人也抓住一位年輕男子說：「兒子，你在這裡幹什麼？」

還有好幾個男人，原來他們都是假扮吉卜賽人混進來的，他們結結巴巴，其中一個忽然指著愛絲梅拉達說：「是她搶了我們的錢，所以我們才假扮吉卜賽人，進來取回金錢。」

「對啊對啊。」其餘幾個男人立刻附和，指著帽子裡的錢說：「看！我們的錢！」

加加很憤怒，立刻為愛絲梅拉達澄清：「明明是你們欣賞完表演，自願打賞的，怎麼可以這樣誣衊她！」

那些男人慌忙搖頭否認：「沒有啊沒有啊！」

「誰誣衊她了？全巴黎都知道她是個魔鬼，最愛迷惑男人和欺詐金錢！」那群婦女充滿了妒意，向警衛隊投訴：「你們也被迷惑住了嗎？幹嘛還不抓捕通緝犯？」

警衛隊成員這才如夢初醒，立刻上前抓捕，愛絲梅拉達慌忙帶著佳麗逃命。

「我們要救她！」加加和喵喵齊聲說。

第5章

真命天子

奇蹟宮殿猶如迷宮一樣，佈滿了大大小小、彎彎曲曲的巷子。警衛兵分成若干小隊，分頭圍捕通緝犯愛絲梅拉達。

其中幾名警衛兵發現地上有兩行腳印，看形狀大小似是屬於一個女生和一隻動物的，他們立刻跟蹤。

那些腳印來到了一個大簍子前面就消失了，一名警衛兵得意地說：「不用藏了，已經找到你！」

他們掀起簍子的蓋，以為可以抓住愛絲梅拉達，怎料簍子裡堆滿了臭氣熏天的垃圾，這只是一個垃圾簍。

他們被垃圾熏得當場暈倒，加加和喵喵便從角落裡走出來，趁機逃去，原來那些腳印是加加和喵喵的，是他們設下的陷阱。

另一邊，有一隊警衛兵發現了愛絲梅拉達的身影，於是窮追不捨，追至一個十字路口的時候，橫巷裡忽然潑出一桶油，警衛兵們腳下一滑，通通滑倒地上，無法站起來走路。當然，從橫巷裡潑油的也是加加。

加加和喵喵用盡一切方法妨礙警衛兵，可是警衛兵人數眾多，轉眼又有一隊追上了愛絲梅拉達。

愛絲梅拉達和佳麗慌不擇路，不幸逃至一條巷子的盡頭，無路可走。眼看警衛兵愈逼愈近，愛絲梅拉達馬上就要被拘捕的時候，忽然有人從後將幾個木桶罩在那些警衛兵的頭上，使他們看不清路，撞在一起。

原來是加加和喵喵及時趕到為愛絲梅拉達解圍。

「快逃吧！」趁警衛兵還未擺脫木桶，加加慌忙拉著愛絲梅拉達逃跑。

「小姑娘怎稱呼？我們素未謀面，你卻這樣幫我，真是感激不盡。」愛絲梅拉達一邊逃

跑，一邊向加加道謝。

　　加加便解釋道：「我叫加加，是受人所託來救你的。」

　　「受人所託？」愛絲梅拉達很詫異。

　　「嗯，他是個大人物，有辦法幫你洗脫罪名，可是我暫時不方便把他的名字說出來，只能帶你去見他。」

　　愛絲梅拉達有點戒心。

　　「相信我吧，他是個善良的好人，他也幫過我脫罪。」加加說。

　　事到如今，愛絲梅拉達也沒其他辦法了，只好跟隨加加去見那個神秘人。

　　可是又有一隊警衛兵發現了愛絲梅拉達，展開追捕，「她在這裡！追！」

加加和愛絲梅拉達在奇蹟宮殿裡疲於奔命，她們想走出奇蹟宮殿，可是每條去路都遇到警衛兵，好不容易才找到一個比較安全的地方，暫時躲藏起來。

　　「加加，你先逃吧，不用管我了。」愛絲梅拉達說。

　　「不可以！」加加拒絕。

　　愛絲梅拉達勸道：「聽我說，警衛隊的目標是我，一日未抓到我，他們都不會分心去對付其他人，所以你要趁這個時候離開。還有，懇求你也帶上佳麗，以後代我好好照顧牠，可以嗎？」

　　聽了這句話，喵喵臉紅起來，加加立刻睥睨著牠，「你臉紅什麼？」

而佳麗則緊緊咬住愛絲梅拉達的裙子，表示牠堅決要留在她身邊，不願離去。

加加揶揄喵喵：「你看人家多不願意跟你走。」

喵喵由臉紅變成了臉色發紫，瞪著加加。

「我有辦法了！」加加忽然靈機一動，向愛絲梅拉達說：「現在你要逃出去是不可能的，就如你所說，我先逃出去，然後通知那個人來救你。你在這裡躲起來等我，千萬不要亂走。」

「佳麗呢？」愛絲梅拉達緊張地問。

「人愈少，成功逃出去的機會愈大，你們都留下來吧。」加加轉頭向喵喵說：「喵喵，你也留下來，好好保護她們。」

喵喵充滿男子氣慨地昂首挺胸，以示包在牠身上。

加加立刻行動，轉身逃出去。

喵喵向愛絲梅拉達指手劃腳，示意自己要去通道口把守著，叫她們放心。

愛絲梅拉達便呆呆地等待著加加，心裡一直猜想著那個能救自己的人到底是誰。她看著佳麗，忽然想起：「佳麗，你占卜一下不就知

道了嗎？」

愛絲梅拉達攤開一堆刻了字母的羊皮片，佳麗閉上眼睛跳起舞步，然後開始叼出字母。

這時候，正在把守著通道口的喵喵忽然被人一腳踢昏。與此同時，佳麗剛好拼出了「孚羅洛」的名字，可是愛絲梅拉達還沒看到占卜結果，便被眼前突然出現的俊俏男子吸引住了，他就是警衛隊隊長菲比斯。

「菲比斯隊長？」愛絲梅拉達大吃一驚。

菲比斯年紀輕輕就當上了警衛隊隊長，加上外表出眾，在城裡是個萬人迷偶像。他和愛絲梅拉達已碰過幾次面，愛絲梅拉達也對他一見鍾情，奈何彼此身份對立，一個是通緝犯，另一個是警衛隊隊長，注定無法在一起。

愛絲梅拉達驚慌地轉身逃走，菲比斯拉著她說：「別怕，我不會傷害你。」

聽到菲比斯這句話，愛絲梅拉達忽然靈光一閃，說：「難道要救我的人，就是你？」

菲比斯誤會她在求情，便含情脈脈地說：「你想我救你？」

二人四目交投，愛絲梅拉達臉紅起來。

佳麗不停咬扯著愛絲梅拉達的裙子，告訴她占卜的結果是「孚羅洛」才對，但此刻愛絲梅拉達的注意力全在菲比斯身上。

佳麗十分疑惑，難道自己的占卜出錯了？

另一邊廂，加加成功逃出了奇蹟宮殿，趕到聖母院去，匆忙得連門也不敲，就推門闖進了副主教孚羅洛的書房，卻發現房間裡擺滿了

金銀珠寶，而加西莫多就坐在房間中央，用凌厲的眼神瞪著她。

「不出我所料，你沒得到懲罰的話，還是會再來偷東西的！」加西莫多說。

「我不是來偷東西！」加加呼冤。

「還想抵賴？不是偷東西，幹嘛闖進捐獻收藏室？」加西莫多質問。

「這裡不是副主教的書房嗎？」

「經過上次的事件，為了防範你再來偷東西，我們把捐獻收藏室和副主教的書房互換了，沒想到你還是找到來！」

加加額頭掉下一滴冷汗，然後激動地說：「我怎麼知道你們把房間換了？我是來找副主教的！」

「你是一個專業的賊子，能嗅到財寶的氣味，所以就找到這裡來了。但幸好我為了防範你再來偷東西，整天守在這裡，終於讓我逮住你了！」加西莫多一臉神氣。

「天啊！你這個又醜又蠢的笨蛋，我不想跟你糾纏了，愛絲梅拉達現在正被警衛隊圍捕，情況很危險，快通知副主教去救她！」

加西莫多嗤之以鼻，「哼，別再拿愛絲梅拉達做藉口，我不會相信的。」

「是真的！快帶我見副主教！」加加非常著急。

「義父他太心軟了，這樣反而害了你。這次我要直接將你交給警衛隊。」加西莫多把加加抬出房間。

「快放了我啊！愛絲梅拉達在等著我去救她！」加加呼喊。

這時孚羅洛恰巧經過，「什麼？你找到愛絲梅拉達了？」

「是啊！她正在被警衛隊圍捕，求你去救救她！」加加著急地說。

「義父，不要信她啊，她是個狡猾的賊子！」加西莫多說。

但孚羅洛命令加西莫多放開加加，然後對加加說：「快帶我去見她！」

「嗯，跟我來！」加加推開加西莫多，飛奔而去。

加加帶著孚羅洛到達奇蹟宮殿，來到愛絲梅拉達躲藏的地方。

「她就在前面了。」加加向前一指，卻發現愛絲梅拉達此刻正與一個男人四目交投、含情脈脈，好像快要親吻起來的樣子。

加加看了大吃一驚，而孚羅洛心裡卻怒火中燒。

第**6**章
殺人犯

「他是誰？」加加驚問。

「他叫菲比斯，是警衛隊隊長。」孚羅洛眼裡充滿嫉妒。

「警衛隊隊長？」加加很驚訝，「愛絲梅拉達怎麼會跟警衛隊隊長在一起？」

孚羅洛滿腔怒火、咬牙切齒，「他正在用美男計誘捕愛絲梅拉達，這是他慣常用的伎倆。」

「那怎麼辦？我要去提醒愛絲梅拉達！」

孚羅洛攔住了她，「不行。你也會被他的俊俏外表所迷惑的，交給我處理吧。你去引開其他警衛兵，不要讓他們過來。」

「嗯！」加加點了一下頭，卻依然向前走去。

孚羅洛拉住她，「你幹嘛？」

「瞧一眼可以嗎？」加加堆笑問，她實在想看清楚菲比斯到底有多帥。

「不行！」孚羅洛厲聲喝斥，加加只好轉身走開。

加加在通道口發現喵喵暈倒在角落裡，連忙扶起牠，「喵喵，你沒事吧？」

喵喵模模糊糊地醒來，說：「我剛才被一個帥哥踢了一下，然後就暈倒了。」

「帥哥？」加加靈光一閃，「一定是菲比斯！」

「菲比斯？」喵喵疑問。

「嗯，他是警衛隊隊長。」加加禁不住好奇：「他長得怎麼樣？真的很帥嗎？」

喵喵臉色一沉，「你不是應該先關心一下我嗎？」

這時候，有幾名警衛兵發現了加加，喝問：

「你！有見到愛絲梅拉達嗎？」

喵喵連忙搖頭，但加加居然點頭。

「她在哪裡？」警衛兵追問。

「捉到我，我就告訴你！」加加立刻拔足而逃。

「哇！你瘋了嗎？」喵喵也慌忙跟著她逃。

「追！」警衛兵立即追去。

加加跑了沒多久，又遇到另一隊警衛兵。

「快抓住她，她知道愛絲梅拉達在哪裡！」正追著加加的警衛兵對同僚說。

於是前後兩隊警衛兵同時夾擊加加，加加只好拐進旁邊的巷子繼續逃。

如是者，追逐加加的警衛兵愈來愈多，加

加在奇蹟宮殿裡亂跑，希望引開所有警衛兵，讓孚羅洛有充足時間救出愛絲梅拉達。

但追逐加加的警衛兵實在太多了，加加來到一個十字路口，發現不論前後左右都有警衛兵，甚至抬頭一看，也有警衛兵從半空撲下來。

結果，一個個警衛兵撲向加加，像疊羅漢般把加加和喵喵壓在地上動彈不得，他們齊聲問：「愛絲梅拉達在哪裡？」

「在……」加加被壓得說不出話，只能伸出手指，亂指一通。

「嗯，我們去找！」警衛兵居然紛紛起來，依照加加的指示走去。

加加和喵喵爬起來，拍拍身上的灰塵，心想那些警衛兵還真笨，亂指也相信。

但這時候，忽然傳來那些警衛兵的喊叫聲：「找到了！」

「不是吧？亂指也找到？」加加大吃一驚，立刻與喵喵往聲音方向走去。

誰會料到，加加剛才亂指的方向，竟然巧合地指到愛絲梅拉達的藏身處；而眼前的景象更是嚇人一跳。

只見愛絲梅拉達昏迷倒地，地上有一灘血漬和一枚警衛隊隊長襟章，但菲比斯和孚羅洛卻不見了。

愛絲梅拉達當場被逮捕，處於昏迷狀態的她沒有被送去醫院，而是立刻送上法庭受審。

「傳目擊證人孚羅洛副主教。」

孚羅洛出現了，他嚴肅地走到證人席，法

官問他:「副主教,請你講述一下當時的情況。」

　　旁聽席上的加加看到孚羅洛後,立即鬆了一口氣,因為孚羅洛說過有辦法幫愛絲梅拉達洗脫罪名的。

　　怎料孚羅洛作供說:「當時我看見愛絲梅拉達和菲比斯想親吻,覺得事情很不尋常,於是走過去看看到底發生什麼事。怎料……」

　　說到這裡,孚羅洛停了下來,好像不想說下去,但法官請他繼續說。

「怎料愛絲梅拉達忽然失常地拿出刀子亂刺，刺傷了菲比斯，我僥倖逃脫，之後的事，我就不清楚了。」

加加聽了十分驚訝，難道這是真的嗎？她實在不敢相信。

法官向犯人席審問：「愛絲梅拉達，你對以上證供可有異議？」

被綁在犯人席上的愛絲梅拉達仍然處於昏迷狀態，當然無法回答。

「既然你沒異議，本席宣判，愛絲梅拉達迷惑並殺害警衛隊隊長，罪名成立，判處死刑！」

加加義憤填膺，立刻站起來抗議：「太荒謬了！她還昏迷著，根本無法答辯啊！」

「就算她醒過來，也改變不了什麼。因為證據確鑿，她犯了謀殺罪。」法官說。

「證據在哪裡？」加加質疑。

「孚羅洛副主教是人證，地上的血漬是物證。」

「怎麼證明地上的血漬是菲比斯的？」加加與法官展開激辯。

「現場有他的隊長襟章。」

「荒謬！至少也要化驗一下 DNA 吧！」

加加說完後，全場都一臉迷惘地望著她，她才記起自己身處十五世紀。

「就當副主教證供屬實，而地上的血漬也是菲比斯的，那也只是傷人罪而已。」加加理直氣壯地說：「沒找到屍體，怎麼能控告謀殺

呢？」

「很明顯，屍體已經被她毀屍滅跡了。難道找不到屍體，就讓兇徒逍遙法外嗎？」法官問在場的群眾：「你們覺得這個吉卜賽女人有沒有罪？」

大家都齊聲附和：「有罪！有罪！」

「你處處幫犯人狡辯，顯然是她的同黨。」法官朗聲道：「我宣判，你和愛絲梅拉達一同處死，明天行刑！」

加加慘叫：「冤枉啊！」

行刑前的晚上，在牢房裡，加加抓住愛斯梅拉達的肩膊，用力地搖晃著，「快醒醒啊！再不醒的話，你這輩子也沒機會再看到這世界了。」

　　愛斯梅拉達真的漸漸醒過來，睜開眼睛看
看四周，驚訝地問：「這裡是什麼地方？」

　　加加也很驚訝，「你終於醒來了！這裡是
牢房啊！」

「為什麼我會在牢房？」

「你被控告謀殺菲比斯，明天就要行刑了！」加加把事情告訴了她，然後問：「當時到底發生了什麼事啊？」

愛斯梅拉達努力地回想，説：「當時我在奇蹟宮殿等你回來，突然遇到菲比斯，而我相信他就是你口中所説，能拯救我的人。」

「不，我説的那個人是孚羅洛副主教啊。」

愛斯梅拉達很詫異，繼續説：「我跟菲比斯見過幾次面，對他的印象不錯，當時他……」

愛斯梅拉達突然臉紅起來，不好意思説下去，但加加已猜到：「他向你表白？」

愛斯梅拉達點點頭。

「你上當了，他是用美男計誘捕你，那是

他慣用的伎倆。」

　　「不，他一表人才，不會用那種下流手段。」愛斯梅拉達堅定地說。

　　「他真的那麼帥嗎？竟然令你這樣相信他？」加加追問重點：「那你為什麼會暈倒的，而他又為什麼不見了？」

　　「當時我們……」愛絲梅拉達又羞於啟齒了。

　　加加連忙幫她說：「你們情到濃時，正想親吻，這也是我最後看到的情形，接著呢？」

　　「接著我忽然聞到一陣奇怪的氣味，然後……」她又停頓下來。

　　「怎麼了？又有什麼羞於啟齒的事情嗎？」加加著急地問。

「不是！」愛絲梅拉達緊張地澄清，拍拍自己的腦袋說：「後來的事，不知道什麼原因，一時記不起來了。」

「不行啊！你一定要盡快記起來，否則就無法洗脫罪名了！」

但愛絲梅拉達顯得不太擔心，「不怕，菲比斯說過……」

說到這裡，她又臉紅起來。

加加沉著臉說：「我們都死到臨頭了，你就別害羞，大膽說出來吧。」

「他說他會保護我，無論我遇到什麼危難，身處什麼險境，他都會守護我，一生一世。」愛絲梅拉達深信不疑地說。

「你相信他會來救你？」加加半信半疑。

但愛絲梅拉達堅定地點點頭。

就在這個時候，突然轟隆一聲巨響，有人從外面把牢房的鐵窗花扯下，跳進牢房裡。

菲比斯真的來救愛絲梅拉達嗎？終於可以一睹這位帥哥的風采了。加加心裡想。

　　怎料她繞到那人面前一看，立刻呆住，「長得好醜啊！」

第7章
越獄

眼前這個人，原來不是菲比斯，而是加西莫多。加加和愛絲梅拉達都流露出失望的神情。

「你們很失望吧？」加西莫多低頭道。

愛斯梅拉達連忙說：「對不起，我不是失望，只是有點意外而已。因為，我以為是菲比斯來救我。」

「他目前不知所終、生死未卜，你不要等他了，讓我先救你出去吧。」加西莫多說。

「你冒這麼大的險來救我？」愛斯梅拉達

有點難以置信。

　　加西莫多臉紅起來，說：「我不忍心看到無辜的人被處決。」

　　「你相信我是無辜的？」

　　「當然相信。」

　　「加西莫多，你真是個大好人。」愛斯梅拉達說。

　　加加心裡不爽，喃喃自語：「為什麼愛斯梅拉達就是無辜，而我卻每次都被你當成賊子？」

　　此時加西莫多已一手抱起了愛絲梅拉達，爬出窗外去；從外形看，實在有點像美女與野獸。

加加忽然想起：「那我呢？誰來救我？加西莫多一定不會救我的，他先後兩次恨不得把我送交警衛隊，如今得償所願了，又怎會救我。那我怎麼辦？」

可憐的加加要哭了，加西莫多突然又從石窗爬進來。原來他是先把愛絲梅拉達送到地面，然後再回來救加加。

「你也救我？」加加感到十分意外。

「在這件事上，我相信你是無辜的，不應被處決。」

加加正喜出望外之際，加西莫多卻補充一句：「但之前的盜竊案就難說了。」

加加立刻臉色一沉，加西莫多一手抱起了加加，爬出窗外去。

他們安全到達了地面，便與愛絲梅拉達一起逃跑。可是這個時候卻被警衛兵發現，響起了越獄的警報聲。

「別跑！否則我們放箭！」警衛兵大聲警告。

眼看四周的警衛兵已經舉起弓箭瞄準過來，加加和愛絲梅拉達都很驚慌。警衛兵正要拉弓發射之際，加西莫多右手抱起愛絲梅拉達，左手抱起加加，用自己的身體保護著她們，救她們逃出重圍。

幸好加西莫多動作夠快，否則她們已經被萬箭穿心了。

他們逃出監獄後，依然被警衛兵從後追捕，加西莫多帶著加加和愛絲梅拉達拚命地逃

跑。

　　經過千辛萬苦，加西莫多終於把她們帶到了巴黎聖母院。由於這裡是聖地，警衛兵追至門外便不能進去抓人，這裡便成為了加加和愛絲梅拉達的臨時庇護所。

　　怎料加西莫多一踏進聖母院便倒下來，昏迷了。原來他的大腿早已中了箭，他一直忍住痛楚，堅持護送她們到聖母院才倒下來。加加十分感動，忽然對這個長相古怪的人另眼相看。

　　「加加，快幫我找些泥土過來！」愛絲梅拉達著急地說。

　　雖然不知道泥土有什麼用，但加加也馬上照辦。

當她捧著一堆泥土回來的時候，愛絲梅拉達已經為加西莫多拔出了箭，並以草藥混合著泥土，敷在傷口上，用衣服撕下來的布條包紮好。

　　這時候，突然響起一聲驚叫，原來是孚羅洛副主教發現了他們。

加加連忙解釋：「副主教，不用擔心，加西莫多大腿中了箭，但沒生命危險，我們已經幫他療傷了。」

「她……醒來了？」孚羅洛驚訝地問。

「不，他還未醒來，但應該沒大礙。」加加以為副主教在說加西莫多。

但孚羅洛所關心的並非自己的義子，而是愛絲梅拉達。他異常慌張地指著愛絲梅拉達說：「她不是昏迷的嗎？」

加加這才明白他的意思，便解釋道：「她在牢裡已醒過來了，可是有點失憶，記不起案情最重要的部分。」

「是哪部分？」孚羅洛試探地問。

「我帶你到奇蹟宮殿的時候，不是看到她

和菲比斯正想親吻嗎？」加加説。

孚羅洛點點頭。

愛絲梅拉達聞言卻有點臉紅害羞。

加加繼續説下去，「她説她那時突然聞到一陣古怪的氣味，之後發生的事就記不起來了。」

孚羅洛聽了，立即鬆一口氣，説：「當時的情況是這樣的，我走過去的時候，發現菲比斯向愛絲梅拉達放迷煙，令她產生幻覺，想誘捕她歸案。」

「不會的。」愛絲梅拉達感到難以置信。

「是真的，這是菲比斯常用的伎倆。你是受了迷煙的影響，才會對他神魂顛倒。」孚羅洛説：「迷煙更使你精神錯亂，忽然拿出利刀，

失常地亂刺。正如我作供時所說，你刺傷了菲比斯，而我則逃脫了。」

「這樣似乎一切都清楚了。菲比斯負傷逃生，留下了血漬。而愛絲梅拉達則因為迷煙的藥力發作而昏迷倒地。」加加頓時覺得真相大白。

「那麼佳麗呢？」愛絲梅拉達還是充滿疑問。

「牠可能仍在奇蹟宮殿裡，其他吉卜賽人照顧著牠，畢竟牠有占卜能力，一定很受歡迎。」孚羅洛說。

「對，我家狗狗可能也在照顧牠。」加加附和。

孚羅洛仁慈地說：「你們別擔心了，先留在這裡好好休養，警衛兵不敢進來抓人的，十分安全。」

黎明時分，聖母院的鐘聲響起。

加加迷迷糊糊地醒過來，聽到鐘聲，知道加西莫多蘇醒了，立刻跑到鐘樓去看看。

來到鐘樓，果然看見加西莫多正在敲鐘，但鐘聲聽起來好像帶點哀傷的感覺。

加西莫多一邊敲鐘，一邊痴痴地望著外面的屋簷。原來愛絲梅拉達正坐在屋簷上，神情憂傷，似乎仍然不相信菲比斯欺騙了自己的感情。

此刻愛絲梅拉達想念著菲比斯，加西莫多心裡卻關心著愛絲梅拉達，而加加竟然莫名其妙地生起了醋意，對加西莫多説：「愛絲梅拉達失戀了，你還不趕快乘虛而入？」

　　「你胡説什麼！」加西莫多緊張起來。

　　「你從牢裡救她出來，不就是想博取她的好感嗎？」

　　「胡説！我救她不是為了追求她的！」加西莫多緊張地澄清。

　　「我才不信。世界上會有那麼偉大的人嗎？」

　　「我不是也救了你嗎？難道我也想追求你了？」加西莫多反問。

　　「你這樣説是什麼意思？我條件很差嗎？

我這麼可愛，你敢說你對我一點好感都沒有？」
加加瞪大了眼睛，盯著加西莫多。

　　二人四目交投，但臉紅害羞的卻竟然是加
加。

　　加加連忙轉身，心裡暗罵：「搞什麼鬼？
對著這個醜八怪我竟然也會臉紅！」

　　「你怎麼了？不舒服嗎？」加西莫多呆呆
地問。

　　這時候，孚羅洛忽然來到，向他們說：「我
剛剛收到消息，知道菲比斯在哪裡了。」

第8章
真相

「我們馬上去找菲比斯!」加西莫多著急地說:「只要找到他,便可以幫愛絲梅拉達洗脫殺人罪,問清楚事情真相。」

「沒錯,我們一起去!」加加附和。

「我也去!」愛絲梅拉達說。

「不行。」孚羅洛解釋道:「你目前是通緝犯,一踏出聖母院就會被拘捕,還是讓他們去吧。」

愛絲梅拉達只好留下來,加西莫多和加加

答應會把菲比斯帶回來。

　　加西莫多和加加依照副主教所說的地址來
到一間破屋，門沒關，他們便走進去，喊叫：「菲
比斯，你在嗎？」

　　屋內沒有人，只見地上有一封信。

　　他們走過去，想撿起那封信看看的時候，
地面突然塌下，他們一同跌進地坑裡。

　　「哎呀！」

　　他們在坑裡翻開那封信一看，上面只畫了
一個鬼臉。

「可惡！菲比斯你這個混蛋！」加加咆哮如雷。

「他居然預先設下陷阱對付我們，實在太狡猾了。」加西莫多嘗試爬出陷阱，但不成功。

而加加則只顧狂罵菲比斯來發洩：「壞蛋菲比斯！變態菲比斯！」

這時候，一個女人聞聲走過來，怒問：「誰一大早上狂喊那混蛋的名字？」

「姑娘，救命啊。」加西莫多呼喊。

那女人拋下繩子讓他們爬上來，並對加加當頭棒喝：「又一個無知少女。你醒醒吧，菲比斯已有未婚妻了！」

「未婚妻？」加加和加西莫多都很驚訝。

「對啊！」那女人忽然傷感起來，「那混

蛋明明説只愛我一個，可是卻被我發現已有未婚妻。」

「你知道他在哪裡嗎？」加加追問。

「這種混蛋你還找他幹什麼？他未婚妻是鄰市的富家女，現在恐怕正趕著去結婚，做其富家女婿了！嗚⋯⋯」那女人愈哭愈厲害，當她睜開眼的時候，發現加加和加西莫多都不見了，「咦，人呢？」

原來他們趕去追截菲比斯。

他們來到河邊，發現一個男人的背影正準備登小船離開，立刻撲過去。

「菲比斯，別走！」他們把那男人撲倒地上。

「你們是誰啊？！」那男人爬起來，怒問。

只見那人頭髮蓬鬆，蓄了鬍子，加西莫多連忙道歉：「對不起，我們認錯人了。」

　　正想離開的時候，加加突然覺得此人隱隱散發著帥哥的氣質，感到不對勁，便回頭摘下對方的假髮，撕掉他的鬍子，一張帥氣的臉終於顯露出來。

　　「好帥啊！」加加終於看清楚菲比斯的俊臉，「你是菲比斯！」

　　菲比斯行蹤敗露，想上船逃走，卻被他們拉住。

「別跑！你知道愛絲梅拉達因為你失蹤而被控謀殺，判處死刑嗎？」加西莫多說。

「小心他放迷煙啊！」加加緊張地掩住加西莫多的鼻子，以作提防。

「迷煙？」菲比斯感到疑惑。

「你用迷煙令愛絲梅拉達對你神魂顛倒，這是你慣常用的伎倆。」加加指摘他。

「哈哈。」菲比斯自信地笑，「我需要用迷煙嗎？」

菲比斯咧嘴而笑，露出閃閃發亮的牙齒，雙眼含情脈脈地望著加加。

加加立刻有點神魂顛倒的感覺，「好帥啊。」

加西莫多連忙把她搖醒，「別受他的外表

迷惑！」

「迷惑你們的人不是我，而是他！」菲比斯突然指向他們的背後。

他們連忙往背後一看，沒發現什麼，但當回過頭來的時候，菲比斯已經趁機上船離開了。

「可惡！又欺騙我們！」加加破口大罵。

「我沒騙你們，迷惑你們的是他！用迷煙的是他！用刀子刺傷我的人也是他——孚羅洛！」菲比斯再指向他們的背後，原來他指著的是遠處的聖母院。

「你胡說！別詆毀我義父！」加西莫多不相信。

「信不信由你。我收到消息，孚羅洛已授權警衛隊進入聖母院，理由是遭到吉卜賽人

侵襲。」菲比斯說：「你們想救愛絲梅拉達就趕快回去吧，孚羅洛才是大壞蛋，是最大的危險！」

加西莫多和加加都驚訝得瞪大了眼睛。

另一邊廂，喵喵走遍奇蹟宮殿每個角落也找不到佳麗，十分擔心。

牠知道加加和愛絲梅拉達藏身於聖母院，便先回去跟她們會合。

喵喵看見孚羅洛捧著一盤野草，覺得有古怪，便跟蹤著他，進入了一個密室，躲在角落裡偷看。

只見孚羅洛把野草放在一個籠子前面，被關在籠子裡的正是佳麗！

「乖乖做好你的占卜，我才給你吃。」孚羅洛嚴肅地問：「愛絲梅拉達將來的老公是誰？」

佳麗一如以往閉上眼睛，跳起舞步，然後從籠子裡的羊皮字母堆中叼出一些字母，拼出了占卜結果——加西莫多。

「什麼？又是那個醜八怪！」孚羅洛怒不可遏，「你不拼出我的名字，我就不讓你回到主人身邊！所以你最好跟我合作，讓愛絲梅拉達知道，我才是他的真命天子。」

佳麗忍不住作嘔，然後用字母拼出一句

「孚羅洛是壞蛋」。

孚羅洛怒火中燒，「嘿，現在不需要你的幫助，我也能得到愛絲梅拉達。到時候就把你宰了，烹煮成我們婚宴上的美食。」

孚羅洛奸笑著離開房間。

此時，愛絲梅拉達正獨個兒坐在屋簷上，俯視街外四周，焦急地等待著加加和加西莫多帶菲比斯回來。

可是她看到的，卻是兩群人分從東西兩面向著聖母院擁來，愛絲梅拉達感到不妙，匆忙爬回大樓內。

恰巧孚羅洛來到，愛絲梅拉達緊張地告訴他：「外面有兩群人擁來聖母院，不知道想幹什麼。」

孚羅洛卻氣定神閒地說：「其中一群是吉卜賽人，他們以為你被禁錮，所以前來救你。而另一群則是來平亂的警衛隊。」

　　愛絲梅拉達驚惶失措，「那怎麼辦？」

　　「不用怕。」孚羅洛的聲音突然變得很溫柔，「我帶你從秘道逃出去。」

　　「不行。」愛絲梅拉達擔心的不是自己，「我們走了，他們一樣會打起來，而且誤會也更難解了。」

　　「我們私奔了，到另一個地方生活，還管他們？」

　　「私奔？」愛絲梅拉達很驚訝。

　　看著孚羅洛奸詐的表情，她的記憶頓時恢復過來，「我記起了！當時你忽然出現，用手

帕擋住了我的臉，不讓我和菲比斯親吻。那手帕上有奇怪的氣味，使我有點頭暈。然後我看見你拿出一把刀刺傷了菲比斯，你還威脅他，要把他的事告訴『那個人』，菲比斯好像很害怕，負傷逃去。」

「他當然害怕，如果我把事情告訴他的未婚妻，他入贅豪門的美夢就泡湯了。」

「未婚妻？」愛絲梅拉達很震驚。

「他是個騙子，我對你才是真心的。跟我走吧！」孚羅洛想拉著她走。

但愛絲梅拉達甩開他的手，「我記得當時你也想帶我走，我拒絕了，你就再用手帕裡的迷藥迷暈我。幸好那時傳來警衛兵的聲音，你慌忙掉下刀子逃去。而我就受迷藥影響，昏倒

了。」

「你果然記起來了。」孚羅洛奸笑，「現在先把你救出去，我們的感情往後再慢慢培養吧。」

孚羅洛又拿出滲了迷藥的手帕，想把愛絲梅拉達強行迷暈帶走。

幸好加西莫多及時趕到，一腳把孚羅洛踢開，痛心地說：「義父，剛才我都聽到了，沒想到你會是那種人。」

孚羅洛看見加西莫多和加加回來了，十分驚訝，衝口而出：「你們沒掉進坑裡？」

　　「原來那個陷阱是你弄的！」加加激憤地說。

　　「事到如今，我也不跟你們客氣了。」孚羅洛忽然拿出刀子，發狂向他們亂刺。

　　「快跑！」加西莫多慌忙拉著愛絲梅拉達和加加逃跑。

第9章
逃出聖母院

　　吉卜賽人強攻聖母院，希望救出愛絲梅拉達。同時，警衛隊得到孚羅洛副主教的授權，進入聖母院制止暴亂，雙方展開激戰。

　　加西莫多奮力保護愛絲梅拉達和加加，想帶她們往秘道逃走，可是不斷遇上警衛兵，而孚羅洛又一直從後追捕，令他們難以前往秘道入口。

　　「警衛兵太多了，恐怕我們還沒到達秘道，愛絲梅拉達就已經被抓住。」加西莫多慨

嘆。

「那我們先找個地方躲起來吧。」加加邊跑邊張望，趁沒人發現的瞬間，打開了旁邊一個房間的門，三人迅即竄了進去。

沒想到房間裡響起一把聲音：「不用怕，我保護你！」

但加西莫多和愛絲梅拉達聽到的只是狗吠聲：「汪汪汪……」

他們一看，發現原來是喵喵挺身而出，擋在佳麗前面，保護著佳麗。

愛絲梅拉達看到了佳麗，激動地上前擁抱，「佳麗！」

加加看到了喵喵，也興奮地上前擁抱，「喵喵！」

可是加加撲了個空，扭頭一看，原來喵喵也鑽進愛絲梅拉達的懷裡，與佳麗一起被擁抱。加加十分尷尬，睥睨著牠。

　　加西莫多皺眉說：「你和你寵物對財寶的觸覺還真敏銳啊。」
　　加加看看四周，才發現原來這裡正是捐獻

收藏室，而加西莫多又以質疑的眼神看著她了。

「現在不是討論這個的時候，我們趕快想辦法救愛絲梅拉達出去吧！」加加著急地說。

加西莫多顯得很苦惱，「外面警衛兵眾多，現在逃出去的話，一定會被他們抓住的。」

「可是我一直躲在這裡不露面的話，我的同胞為了救我，會不停與警衛隊廝殺。」愛絲梅拉達一臉擔憂。

現在真是進退兩難了，加加不禁慨嘆：「一表人才的菲比斯居然是個花心壞蛋。而德高望重，看似知書識禮的孚羅洛，卻是個表裡不一的陰險小人。唉，這個世界，真不能以貌取人啊！」

話音剛落，喵喵頭上的雙角立刻閃出了電

光，原來「**不能以貌取人**」是這次的回家密碼。

眼看電光要劈出一道時空門的時候，加加突然靈機一動，居然用手捏滅了喵喵雙角的電光，興奮地說：「我有辦法了！」

大家看得目瞪口呆，弄不清剛才發生什麼事。

喵喵也驚訝地問加加：「你不回去了嗎？」

「我要多留一會，救愛絲梅拉達出去。」加加說。

大約十分鐘後，加加穿上愛絲梅拉達的衣服，蒙著面紗，與喵喵一起從房間裡走出來。警衛兵馬上發現，以為她是愛絲梅拉達，便大喊：「她在這裡！」

四周的警衛兵立刻跑過來追捕，而吉卜賽

人也趕來營救，假扮愛絲梅拉達的加加便拚命奔跑，引他們追。

加加引開了他們之後，加西莫多從房裡冒出頭來，發現沒有人，便帶著愛絲梅拉達和佳麗逃往秘道去。愛絲梅拉達與加加互換了服飾，同樣蒙著面紗，別人認不出來。

追著加加的人愈來愈多，他們都以為加加是愛絲梅拉達。加加好不容易擺脫了大部分人，躲到一面屏風後面，暫時喘息著。

可是若干警衛兵搜索而至，剛好走到屏風的另一面，與加加只隔著一面屏風，加加膽戰心驚。

就在這個時候，孚羅洛恰巧發現了她。

「愛絲梅拉達，是你不識好歹，迫我走到

這一步的。」孚羅洛拿著刀子向加加逼近。

　　加加驚訝不已，卻情急智生，趁背後的警衛兵還未行動，連忙搶著說：「副主教，是不是我答應做你的情人，你就能救我走？」

　　孚羅洛喜出望外，「你⋯⋯你終於答應了？」

　　「你還沒回答我。」

　　「這個當然！我做一切都是為了你。我已經準備好秘密的房子，只要你答應，我立刻帶你從秘道私奔，就由得警衛隊和吉卜賽人在這裡互相廝殺。」

　　孚羅洛向加加伸出了手，但加加冷冷地說：「對不起，我不答應。」

　　加加把背後的屏風推倒，屏風後面的警衛兵立刻分從兩旁走出來，用武器指著孚羅洛和加加。

　　「副主教，你涉嫌瀆職，我們要逮捕你！」警衛兵說。

　　孚羅洛大吃一驚，手中的刀子也掉在地上。

　　同時，警衛兵也對加加說：「愛絲梅拉達，你是死刑犯，我們要帶你回去行刑！」

「等等。」加加摘下面紗，「我不是愛絲梅拉達。」

「是你？你竟敢作弄我！」孚羅洛怒不可遏。

加加神氣地轉身離開，卻依然被警衛兵抓住不放。

「喂！你們幹什麼？我又不是愛絲梅拉達！」加加掙扎喊叫。

「你也是死刑犯，因為逃獄耽誤了好幾天，現在馬上跟我們回去行刑！」

加加呆住了，這才記起自己也是被判了死刑的。

警衛兵押著孚羅洛和加加離開。而那群吉卜賽人找不到真正的愛絲梅拉達，也就散去了。

加西莫多成功帶愛絲梅拉達和佳麗從秘道逃走，來到了一個偏遠的漂亮村莊。可是他們得知加加被捕了，十分擔心。

「加加是為了我而被捕的，我要去救她。」愛絲梅拉達激動地說。

加西莫多勸阻她：「讓我去吧，都是我不好，當時沒有堅決阻止她。」

原來加加提出跟愛絲梅拉達互換衣裝，引開警衛兵時，大家都擔心加加的安危，可是加加指著喵喵頭上閃著電光的雙角說：「不用擔心我，我家小狗有超能力。」於是大家便依照她的計劃行事。

如今加加要問吊了，加西莫多和愛絲梅拉達都很內疚，加西莫多正想去營救加加的時候，

有民眾傳來了刑場的最新消息。

原來剛才準備行刑的時候，忽然有一隻狗叼著刀子撲向絞刑台。

那時犯人莫名其妙地喊了一句「不能以貌取人」，那狗頭上一雙古怪的角便閃出了電光，在空氣中劈出了一個圓圈。

同時，牠一躍而起，用口中的刀子割斷了吊著犯人脖子的麻繩，然後犯人與狗一同掉進那圓圈裡，消失了。最後連那個圈也消失了，群眾都嘖嘖稱奇，認為那是妖術。

不過加西莫多和愛絲梅拉達知道加加沒有被吊死，立刻放下了心頭大石，不約而同吐出一句：「果然是超能力啊。」

佳麗更一臉神氣，似為喵喵而感到自豪。

加西莫多和愛絲梅拉達相視而笑，彼此間
的感情開始萌芽了。

第 **10** 章
不能以貌取人

加加在行刑的一刻及時與喵喵回到自己的時空，驚險萬分。

「哎呀！」他們從時空門掉下來，卻沒想到地點竟然是子羽的房間。

此時子羽正坐在書桌前畫畫，加加掉下來剛好騎在子羽的肩上，而喵喵則騎在加加的肩上，三人像疊羅漢般。

喵喵口中的刀子飛脫，恰好插在子羽正在繪畫的畫紙上，嚇了子羽一大跳。

加加看見畫紙上畫了一隻烏龜，發現這烏龜很眼熟，跟愚人節貼在她背上的那隻烏龜一模一樣。

　　她低頭看看自己騎住的人，然後激動地喊叫：「子羽哥哥！原來作弄我的人是你！」

　　子羽突然被人騎在肩上，自然大吃一驚，直到聽到加加的聲音，才鬆一口氣，「加加，是你嗎？」

　　「作弄我的人居然是黑名單上排最後的子羽哥哥！太過份了！」加加欲哭無淚。

子羽笑説：「哈哈，會長大人別生氣，愚人節跟你開個玩笑而已。今天早上你不是也作弄過我嗎？其實我出門的時候已看到你在假裝被車撞了，所以便陪你玩一下。愚人節快樂啊！」

原來自己的惡作劇早被子羽識破，加加頓時感到無地自容，從子羽的肩上跳下來。

當子羽看到身穿囚衣的加加時，不禁大吃一驚：「你是誰？你是加加嗎？」

加加心生一計，忽然壞笑起來，慢慢地步向子羽，「我不是加加，我是六百年前被人害死的一名吉卜賽少女。」

「加加，你是故意裝神弄鬼來向我報復的，是不是？」子羽開始有點慌，心想加加不

可能穿牆過壁，忽然從天花板跌在自己的肩上，
那麼眼前這個穿著囚衣的人難道真是⋯⋯

　　加加把頭髮垂下來，伸出雙臂追著子羽，
子羽登時嚇得在屋裡亂竄亂逃，「哇！別過
來！」

　　加加從沒見過子羽哥哥這樣驚惶失措的，
心裡暗呼好玩，跟子羽哥哥追逐了一整個晚上。

第二天，加加回到學校，看見滿腔怒火的王大大。

加加堆起笑容，主動打招呼：「副會長！」

但王大大黑臉回應：「你不是已經把我踢出偵探學會嗎？」

「哈哈，昨天是愚人節，我跟你開個玩笑而已。」加加打哈哈地敷衍過去。

怎料王大大更激動，「什麼？你居然作弄我？我昨天還放過了你，沒有作弄你呢！」

王大大不甘心，正想著辦法還擊。

加加馬上制止他：「等等！今天已經不是愚人節了，惡作劇到此為止。」

「不行！那我豈不是很吃虧嗎？」王大大心有不甘。

但這時候，王大大發現加加一直凝神盯著自己的臉，不禁臉紅尷尬起來，「你看什麼？」

「你知道鐘樓駝俠嗎？」加加忽然問。

「聽說過。幹嘛？」王大大感到莫名其妙。

「他駝背、面目可憎、醜陋不堪，但卻是個善良的大好人。」

「那又怎樣？」王大大不明白加加想表達什麼。

加加解釋說：「所以，我們真的不能以貌取人。我在想，說不定你也是個好人呢。」

「我當然是好人。」王大大突然覺得有點不對勁，「這是什麼意思？你是間接說我醜嗎？」

加加安慰他：「長得醜也不用自卑啊，最

重要是內心善良。」

「是嗎？」王大大掏出了一支畫筆，不懷好意地盯著加加的臉。

「你想幹什麼？」加加有不祥的預感。

「給你補送愚人節禮物。」王大大說罷便追著加加的臉來畫。

加加拼命逃跑，「哇！這樣你就連唯一的優點也沒有了！」

他們二人又開始沒完沒了地追逐爭吵起來。

下 回 預 告

《玩轉梁祝》

抗拒上學的加加，被安排穿越到梁祝時代，感受到
女孩子不能上學之苦後，竟女扮男裝，進入古代校園，
為梁祝故事帶來翻天覆地的變數……

經 已 出 版

穿越夢工場

作者 耿啟文　　繪畫 KNOA CHUNG

1-10 期 全套經已出版　　完完整整 完美收藏

穿越夢工場

4

作者	耿啟文
繪畫	KNOA CHUNG
策劃	YUYI
設計	siuhung
出版	創造館
	CREATION CABIN LTD.
	荃灣美環街 1-6 號時貿中心 6 樓 4 室
電話	3158 0918
發行	泛華發行代理有限公司
	香港新界將軍澳工業邨駿昌街七號二樓
印刷	高科技印刷集團有限公司
出版日期	第一版　2019 年 4 月
	第二版　2022 年 7 月
ISBN	978-988-79217-7-6
定價	$68
聯絡	creationcabinhk@gmail.com

本故事之所有內容及人物純屬虛構，
如有雷同，實屬巧合。

讓《幸福小團圓》這一班
可愛善良的小夥伴給你
一些陪伴和心靈療癒

文——陳四月　圖——多利

那隻黑貓報恩

《輪迴交易現場》暢銷魔幻小說作家

陳四月 2022最新力作

「寫這甜蜜故事害我血糖嚴重超標，
應該是我目前為止所寫甜度Lv最高的文了……」

《STEM少年偵探團》人氣畫家

多利 碰撞青春日系火花

「以少女的細膩筆觸，
繪畫出如此跌宕生姿的浪漫愛情是我夢寐以求的事。
好想被抱在摩卡懷裡喔……」

死神是帥氣

帥氣的黑貓死神摩卡，
為了拯救他生前的主人舒雅，
一而再違反工作守則。
即使要與高高在上的死亡之神為敵，
他也決意要逆轉注定的厄運！

最義無反顧的愛 跨越物種與生死

最暢銷童書出版社創造館
全新青少年作品花漾系列
獻給兒童以上成人未滿的你
鮮活青蔥的閱讀新一章

創造館 CREATION CABIN.　港幣 $78

vol.13
齊天大聖現真身

人界的陰謀密佈，操控不死殭屍大軍的虎鹿羊大仙跟傭備忍者兵在謀劃破壞和平。
公會獵人丹妮絲與徒弟艾爾文和艾翠絲聯同的吸血鬼王子阿諾特追查此事，
卻因為線索少之又少而墮入重重迷霧之中。

花果山山頭上，來自帝都的軍隊來襲，紅孩兒、鐵扇公主以及黑牛帝實力強橫，
以雷霆萬鈞之勢入侵猴妖們的領土！大戰一觸即發，迦南與一眾學生出手抗敵，
可是即使加上老師唐三藏，還是節節敗退！齊天大聖孫悟空能及時出現擊退來犯者嗎？

安德魯與雙兒，雙雙身處的女兒國表面和平逸樂，不同種族的女性妖魔和睦共存，
但其實女帝鳳禧野心勃勃，企圖一統天下。她跟人界的惡勢力連成一線，蠢蠢欲動……

超人氣畫家 **余遠鍠** ✕ 鬼才作家 **陳四月**
攜手開創「**吸血新新新世紀**」!!!

·我的· 吸血鬼同學

vol.1-13＋番外篇　　經已出版

童話夢工場 系列叢書

2022 最好玩新作！

超神準！
解答成長疑問的
心理測驗

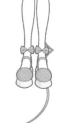

40 條有趣的場景題目，組成上卷．〈自我個性與人際關係篇〉
及下卷．〈升學志向與未來發展篇〉，
讓你在成長期裡，探索自己的人格、能力和興趣！

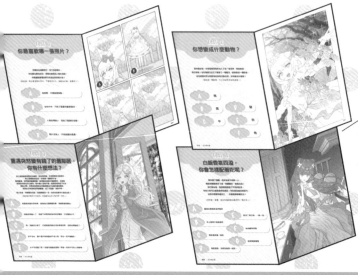

P.S.
全彩配圖如畫冊精美，
賞心悅目啊！

全 2 冊
暫定 2022 年 7 月
書展出版
♥
一起心思思

2022年夏季出版　敬請密切留意

奇幻的綠野仙蹤
＊ 之旅 ＊

誠邀你一起加入！